Blake Mackay

BOUFFE
style
BLAKE

Hurtubise

LES ÉDITIONS HURTUBISE BÉNÉFICIENT DU SOUTIEN FINANCIER DES INSTITUTIONS SUIVANTES POUR LEURS ACTIVITÉS D'ÉDITION :

- Conseil des Arts du Canada ;
- Gouvernement du Canada par l'entremise du Fonds du livre du Canada (FLC) ;
- Société de développement des entreprises culturelles du Québec (SODEC) ;
- Gouvernement du Québec par l'entremise du programme de crédit d'impôt pour l'édition de livres.

DIRECTION DE CRÉATION : Jack Latulippe - *LES ÉVADÉS*
DÉVELOPPEMENT DES CONTENUS : Blake Mackay, Jack Latulippe
STYLISME CULINAIRE ET DÉVELOPPEMENT DES RECETTES : Blake Mackay
RÉDACTION : Sophie Massé
RÉDACTION DES RECETTES : Sylvain Thomin
DIRECTION ARTISTIQUE : Samuel Charlebois, Simon L'Archevêque, Pierre-Luc Soumis
INFOGRAPHIE : Bruno Terroux, Jin Xi Chen, Jean-Philippe Plante
PHOTOGRAPHIE : *SHOOT STUDIO* - Martin Girard, Jean-François Lemire, Hans Laurendeau, Sandrine Castellan, Jérôme Guibord
PHOTOGRAPHIE DE COUVERTURE : *SHOOT STUDIO* - Martin Girard
PHOTOGRAPHIE DE JOSÉE DI STASIO : ©Photo Maxime Desbiens

DIFFUSION-DISTRIBUTION AU CANADA :
DISTRIBUTION HMH
1815, AVENUE DE LORIMIER
MONTRÉAL (QC) H2K 3W6
TÉLÉPHONE : (514) 523-1523
TÉLÉCOPIEUR : (514) 523-9969
WWW.DISTRIBUTIONHMH.COM

DIFFUSION-DISTRIBUTION EN EUROPE :
LIBRAIRIE DU QUÉBEC/DNM
30, RUE GAY-LUSSAC
75005 PARIS FRANCE
WWW.LIBRAIRIEDUQUEBEC.FR

Imprimé au Canada sur les presses de TC·Interglobe, Beauceville
www.editionshurtubise.com

Blake travaille avec moi depuis cinq ans.
Tantôt comme styliste, tantôt pour la mise en place de l'émission, tantôt pour tester les
recettes de mes deux derniers livres; toujours curieux, toujours libre et inventif.
Son style et sa spontanéité colorent tous ses projets personnels.
Lorsqu'il travaille avec les autres, il ajoute quelque chose de magique.
Un ingrédient dont il a le secret et qu'il incorpore à tous ses plats.
Cet ingrédient est la générosité.
Blake en met partout, il en met beaucoup… et il y en a à pleines pages dans ce livre.

Allez, à table !

Josée di Stasio

Cuisiner, c'est mon métier. Et une grosse partie du reste de ma vie.

Je cuisine depuis que je suis tout petit, sans jamais avoir suivi de formation de chef. Je travaille comme assistant et styliste culinaire avec ma grande amie Josée di Stasio depuis maintenant cinq ans. Avant ça, j'ai eu mon resto, à Edmonton. Je suis toujours allé là où ma passion de la bouffe m'a mené et, partout, j'ai fait de super rencontres. Ce livre, c'est une façon de partager cette passion-là avec vous.

À part la bouffe, j'aime mes amis, les amis de mes amis, les étrangers, ceux qui vivent à côté de chez moi ou à l'autre bout du monde. Bref, j'aime les gens. Surtout quand ils s'invitent à des soupers improvisés. J'aime aussi que tout ce beau monde se retrouve autour d'une belle table. J'aime la vaisselle dépareillée et l'argenterie de granny, les grands plateaux, les plats servis dans des pots, la porcelaine blanche. J'aime surprendre et être surpris.

Si j'apprécie les recettes aux saveurs recherchées, je leur préférerai toujours une cuisine simple et authentique. Une cuisine comme un prétexte pour partager des moments de vie avec ceux que j'aime.

C'est ça, la bouffe style Blake.

Blake

SOMMAIRE

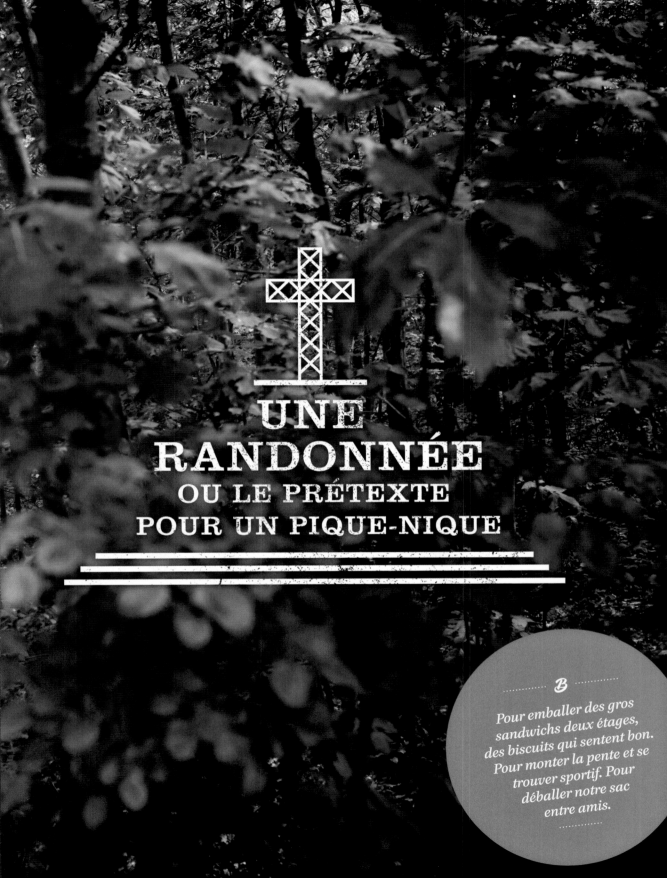

UNE RANDONNÉE
OU LE PRÉTEXTE
POUR UN PIQUE-NIQUE

B

Pour emballer des gros sandwichs deux étages, des biscuits qui sentent bon. Pour monter la pente et se trouver sportif. Pour déballer notre sac entre amis.

MÉLANGE DU RANDONNEUR

- 1 **DEMI-TASSE** DE PÉTALES DE ROSES SÉCHÉS
- 1 **TASSE** DE PISTACHES
- 2 **TASSES** DE NOIX AU CHOIX (NOISETTES, AMANDES, NOIX DE CAJOU, NOIX DE PÉCAN...)
- 1 **TASSE** DE FLOCONS DE NOIX DE COCO
- 1 **TASSE** DE PÉPITES DE CHOCOLAT BLANC
- 1 **DEMI-TASSE** DE GINGEMBRE CRISTALLISÉ
- 1 **TASSE** DE RAISINS SECS

MÉLANGER tous les ingrédients dans un bol.
ÉTALER l'appareil en portions souhaitées. **EMBALLER**.

DES PÉTALES DE ROSES ET DU GINGEMBRE CRISTALLISÉ ?

Ça se trouve dans un marché moyen-oriental, comme Adonis ou Akhavan, dans une épicerie fine ou un marché qui offre des aliments en vrac.

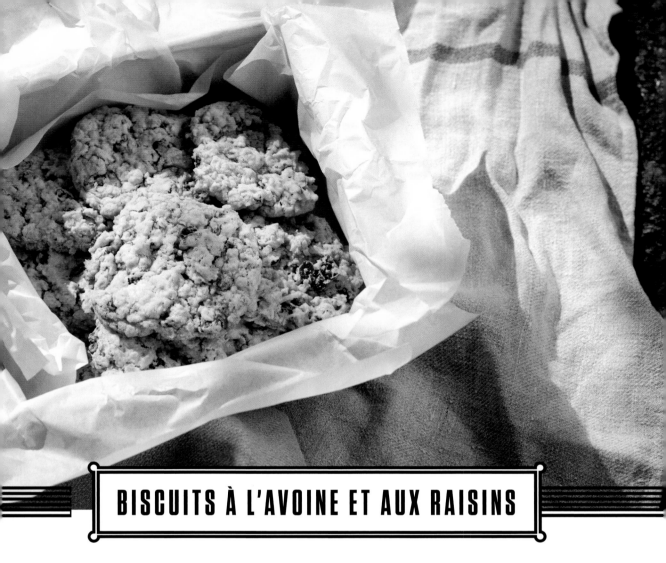

BISCUITS À L'AVOINE ET AUX RAISINS

INGRÉDIENTS

- **1 TASSE ET DEMIE** DE FARINE
- **1 C. À THÉ** DE POUDRE À PÂTE
- **1 C. À THÉ** DE SEL
- **1 TASSE** DE BEURRE À TEMPÉRATURE AMBIANTE
- **3 QUARTS DE TASSE** DE CASSONADE DORÉE
- **3 QUARTS DE TASSE** DE SUCRE
- **2 ŒUFS À TEMPÉRATURE AMBIANTE**
- **1 C. À THÉ** DE VANILLE
- **2 TASSES** DE RAISINS SECS
- **1 TASSE** DE NOIX DE COCO EFFILOCHÉE
- SIROP D'ÉRABLE
- **2 TASSES ET DEMIE** DE FLOCONS D'AVOINE

PRÉPARATION

FAIRE CHAUFFER le four à 350 °F.

MÉLANGER la farine, la poudre à pâte et le sel, et **METTRE** de côté.

Dans un mélangeur sur pied, **MÉLANGER** le beurre et les sucres jusqu'à une consistance crémeuse et légère. **AJOUTER** les œufs et la vanille.

AJOUTER les ingrédients secs et **COMBINER**.

AJOUTER un soupçon de sirop d'érable, au goût.

AJOUTER les flocons d'avoine, les raisins et la noix de coco. **MÉLANGER**.

DIVISER la pâte sur une plaque et **CUIRE** au four 20 minutes.

LAISSER REFROIDIR et **SERVIR**.

SALADE DE GRAINS

INGRÉDIENTS

- **1 TASSE** DE RIZ CUIT
- **1 TASSE** DE LENTILLES CUITES
- **1 TASSE** DE PETITS POIS BLANCHIS
- **500 G** DE CHAMPIGNONS SAUVAGES
- JUS ET ZESTES DE **2** CITRONS
- **2** ÉCHALOTES GRISES
  HACHÉES FINEMENT
- **3** GOUSSES D'AIL TRANCHÉES
- **120 ML** D'HUILE DE PÉPINS DE RAISIN
- SEL ET POIVRE

PRÉPARATION

MÉLANGER dans un grand bol le riz, les lentilles et les pois avec le jus et les zestes de citrons. **AJOUTER** 60 ml d'huile de pépins de raisin.

SALER et **POIVRER.**

FAIRE SAUTER les champignons avec les échalotes et l'ail dans 60 ml d'huile de pépins de raisin à feu vif. Bien les faire **DORER**.

SALER ET POIVRER.

AJOUTER les champignons sautés au mélange de riz et **VÉRIFIER.**

CASSE-CROÛTE PAS DE CROÛTE

INGRÉDIENTS

- **2** POITRINES OU **2** CUISSES DE POULET POCHÉES ET EFFILOCHÉES
- **1** POIVRON RÔTI EN LANIÈRES
- **1 DEMI-BOTTE** D'ASPERGES BLANCHIES ET BIEN ESSORÉES
- **1 DEMI-TASSE** D'OLIVES NOIRES DÉNOYAUTÉES
- **1 DEMI-TASSE** DE PESTO DE BASILIC
- **8 TRANCHES** DE FROMAGE ASIAGO
- **125 G** DE FROMAGE À LA CRÈME
- **6** PETITS PAINS
- HUILE D'OLIVE

PRÉPARATION

MÉLANGER les asperges, le poulet, les olives, le poivron et le pesto de basilic.

ÉTENDRE le fromage à la crème sur les pains, **COUVRIR** de tranches d'Asiago, puis du mélange de poulet.

SALER et **POIVRER**.

EMBALLER.

ARNOLD PALMER

- **500 ML** DE JUS DE PAMPLEMOUSSE
- **500 ML** DE THÉ CHAI, FROID
- **1 LARME** DE SIROP SIMPLE
- GIN SI VOUS LE SOUHAITEZ

ARNOLD PALMER, C'EST QUI, C'EST QUOI?

Pour certains, c'est le plus grand golfeur de tous les temps. Pour d'autres, c'est le cocktail moitié limonade, moitié thé glacé, maintenant classique qu'il a l'habitude de boire.

UN APRÈS-MIDI

AU LAC

OU LE PRÉTEXTE POUR MANGER EN MAILLOT

B

Pour s'empiffrer de grillades. Et se déculpabiliser avec la salade. Pour se trouver chanceux d'avoir des amis avec un chalet. Pour décider qu'il fait chaud et sauter dans l'eau.

COCKTAILS à la bière

INGRÉDIENTS

POUR 12 POTS MASON DE 500 ML

- **6** BIÈRES (UTILISER UNE BIÈRE BLANCHE TELLE QU'UNE LEFFE OU UNE HOEGAARDEN)
- **6 OZ** DE TEQUILA
- **4 OZ** DE VODKA
- **2 OZ** DE TRIPLE SEC OU DE GRAND MARNIER
- **750 ML** DE JUS DE PAMPLEMOUSSE
- **750 ML** DE JUS D'ORANGE
- BITTERS
- **1** CITRON COUPÉ EN QUARTIERS
- **1** LIME COUPÉE EN QUARTIERS
- GLAÇONS
- MENTHE, BASILIC OU VERVEINE POUR DÉCORATION

PRÉPARATION

MÉLANGER le jus d'orange, la vodka et le triple sec. **DIVISER** le mélange entre les 6 bocaux à conserve. **RÉSERVER**.

MÉLANGER le jus de pamplemousse et la tequila. **DIVISER** entre les 6 autres bocaux. **RÉSERVER**.

Au moment de servir, **AJOUTER** des glaçons, la moitié d'une bière par bocal, quelques gouttes de votre bitter préféré et des quartiers d'agrume.

DÉCORER avec votre herbe aromatique préférée.

INGRÉDIENTS POUR 12 GUÉDILLES

- **500 G** DE TRUITE FUMÉE À CHAUD
- **500 G** DE CREVETTES NORDIQUES
- **250 ML** DE CRÈME FRAÎCHE
- **2** ÉCHALOTES FRANÇAISES ÉMINCÉES
- **1** CITRON, JUS ET ZESTE
- **1 PETITE BOTTE** DE CRESSON
- **1 DEMI-TASSE** D'OIGNONS FRITS
- **12** PAINS À HOT-DOG
- **1 C. À SOUPE** DE MOUTARDE DE DIJON
- **1 DEMI-TASSE** DE CROUSTILLES ÉCRASÉES
- BEURRE POMMADE
- SEL ET POIVRE

PRÉPARATION

ÉCRASER la truite avec une fourchette.

AJOUTER la crème fraîche, les crevettes, les échalotes, le jus et le zeste du citron, la moutarde. **SALER** et **POIVRER** au goût.

GRILLER légèrement les pains à hot-dog. **BEURRER** les pains et **GARNIR** du mélange de truite et des feuilles de cresson.

AJOUTER les oignons frits et les croustilles écrasées juste avant de **MANGER**.

Guédilles à la
TRUITE FUMÉE

GUÉDILLES À LA TRUITE FUMÉE :
POURQUOI PAS AU HOMARD ?

On peut la faire au homard, comme toujours.
Mais la truite, plus économique, permet aussi
de varier les plaisirs. Et pour avoir un saumon
qui s'effiloche, on le choisit absolument
fumé à chaud.

SALADE de légumes verts

INGRÉDIENTS

- **6** CONCOMBRES LIBANAIS ÉPÉPINÉS
- **200 G** DE HARICOTS VERTS, BLANCHIS
- **200 G** DE PETITS POIS, BLANCHIS
- **1** TÊTE DE LAITUE ICEBERG
- **1 DEMI-TASSE** DE FEUILLES DE PERSIL PLAT
- **1 DEMI-TASSE** DE FEUILLES D'ESTRAGON
- **2** PIMENTS FORTS ROUGES ÉPÉPINÉS
- **1 POIGNÉE** DE PISTACHES
- **1** CITRON, JUS ET ZESTE
- **60 ML** D'HUILE DE PÉPINS DE RAISIN
- **1 C. À THÉ** DE SUCRE
- SEL ET POIVRE

PRÉPARATION

DÉCHIRER la tête de laitue, **MÉLANGER** avec le persil et l'estragon, **RÉSERVER** dans de l'eau glacée.

Dans un mortier ou un grand bol, **ÉCRASER** avec un pilon les piments, les pistaches, le sucre, le sel et le poivre.

AJOUTER les concombres en cubes, les haricots verts et le zeste de citron. **ÉCRASER** à nouveau.

Bien **ESSORER** la laitue.

MÉLANGER le tout, **ARROSER** de jus de citron et d'huile. **GOÛTER** et **RECTIFIER**.

INGRÉDIENTS POUR 12 BROCHETTES

- **500 G** DE BŒUF COUPÉ EN CUBES
- **1 MORCEAU** DE GINGEMBRE D'ENVIRON 2 POUCES, RÂPÉ
- **1** PIMENT JALAPENO HACHÉ FINEMENT
- **1** ORANGE, JUS ET ZESTE
- **60 ML** DE SAUCE SOYA
- **1 C. À SOUPE** DE SUCRE
- **1 C. À SOUPE** DE SEL
- POIVRE

PRÉPARATION

MÉLANGER tous les ingrédients de la marinade et **RÉSERVER** dans un sac à glissière.

EMBROCHER les cubes de bœuf et les **DÉPOSER** dans le sac. Bien **MÉLANGER** avec la marinade et placer au congélateur pendant au moins 24 heures.

SORTIR les brochettes et **LAISSER DÉCONGELER** (le processus de congélation-décongélation attendrit la viande).

GRILLER les brochettes jusqu'à la cuisson désirée sur un barbecue réglé à feu moyen-élevé.

BROCHETTES de bœuf

GALETTES de pois chiches

INGRÉDIENTS

- **1 BOÎTE DE 540 ML** DE POIS CHICHES ÉGOUTTÉS
- **1 QUART DE TASSE** DE FEUILLES DE CORIANDRE, HACHÉES
- **1** OIGNON HACHÉ FINEMENT
- **1 C. À THÉ** DE CUMIN MOULU
- **1 C. À THÉ** DE CORIANDRE MOULUE
- **1 C. À THÉ** DE CARI
- **2** LIMES, JUS ET ZESTE
- **1** ŒUF
- **1 TIERS DE TASSE** DE FARINE
- **1 DEMI-C. À THÉ** DE SEL
- **1 DEMI-C. À THÉ** DE POIVRE
- **1 QUART DE TASSE** D'HUILE D'OLIVE
- QUARTIERS DE LIME
- YOGOURT NATURE

PRÉPARATION

FAIRE REVENIR l'oignon avec les feuilles de coriandre dans 15 ml d'huile, jusqu'à ce qu'il soit légèrement coloré.

METTRE tous les ingrédients dans un robot culinaire, y compris l'oignon cuit, et **RÉDUIRE** en purée grossièrement.

Avec ce mélange, **FORMER** des galettes de la taille d'une cuillère à table. **FAIRE FRIRE** 2 minutes de chaque côté. Lorsque les galettes sont cuites, **RÉSERVER** sur du papier absorbant.

SERVIR avec du yogourt nature et des quartiers de lime.

SEMIFREDDO

INGRÉDIENTS

- **1 TASSE ET DEMIE** DE PISTACHES OU DE NOISETTES SANS ÉCALE
- **1 TASSE** DE SUCRE
- **6** GROS BLANCS D'ŒUFS
- **2 TASSES** DE CRÈME 35 %, TRÈS FROIDE
- **1 DEMI-C. À THÉ** DE VANILLE OU D'EXTRAIT D'AMANDES

PRÉPARATION

Dans un robot, **MIXER** 1 tasse de noix avec 1 demi-tasse de sucre pour obtenir une fine poudre, **AJOUTER** le reste des noix et **MIXER** de nouveau.

MONTER les blancs d'œufs en neige pour former des pics mous, **AJOUTER** le reste du sucre tout en battant jusqu'à l'obtention de pics fermes.

BATTRE la crème avec l'extrait de vanille.

PLIER ensemble les blancs et la crème, puis **AJOUTER** le mélange de noix.

CONGELER dans un moule à pain pendant au moins 4 heures.

SEMIFREDDO : ÇA VIENT D'OÙ ?

Fait à part égales de crème glacée et
de crème chantilly, le semifreddo tient
son nom du fait qu'il est semi-glacé.
C'est un dessert d'été facile
à faire sans sorbetière.

SLOCHE MAISON

INGRÉDIENTS

- **3 TASSES** DE FRUITS ROUGES
  (FRAISES, FRAMBOISES, MÛRES, BLEUETS)
- **1 TASSE** D'EAU
- **3 QUARTS DE TASSE** DE SUCRE
- **2 C. À SOUPE** DE JUS DE CITRON

PRÉPARATION

AMENER l'eau, le sucre et le jus de citron à
ébullition pour en faire un sirop simple.
RÉSERVER.

RÉDUIRE les fruits en purée à l'aide d'un robot,
AJOUTER le sirop.

VERSER dans un moule de 9 x 13 pouces et
PLACER au congélateur.

GRATTER la sloche avec une fourchette toutes
les 20 minutes pendant 2 heures. **COUVRIR**.

la fête d'enfants

Ou le prétexte pour manger avec les mains

Pour y aller fort sur le double-dip. Pour se rappeler que du colorant bleu avec du jaune, ça fait du vert. Pour camper à côté de la table de bonbons, soi-disant pour surveiller les enfants.

LIMONADE AUX FRAISES ET FRAMBOISES

INGRÉDIENTS

- **500 G** DE FRAISES ET FRAMBOISES
- JUS DE **+/- 10** CITRONS, LE ZESTE DE **1** SEUL
- **1 TASSE** DE SUCRE
- **1 C. À THÉ** DE VANILLE
- ENTRE **1 ET 1,15 LITRE** D'EAU

PRÉPARATION

FAIRE un sirop simple avec le sucre et 2 tasses d'eau.

VERSER le sirop chaud sur les fruits rouges et **ÉCRASER**.

LAISSER TIÉDIR, FILTRER et **AJOUTER** le zeste et le jus de citron, la vanille et l'eau.

LIMONADE À L'ORANGE

INGRÉDIENTS

- JUS DE **+/- 10** CITRONS, LE ZESTE DE **1** SEUL
- JUS DE **6** ORANGES, LE ZESTE DE **2**
- **1 TASSE** DE SUCRE
- **1 C. À THÉ** DE VANILLE
- ENTRE **1 ET 1,15 LITRE** D'EAU

PRÉPARATION

FAIRE un sirop simple avec le sucre, 2 tasses d'eau et le zeste des agrumes. **LAISSER TIÉDIR**.

AJOUTER le jus et la vanille, et **ALLONGER** à l'eau pour que le goût plaise aux petits.

HOUMOUS, CRAQUELINS, LÉGUMES, ET VOS ENFANTS DEVIENNENT DES ARTISTES ALIMENTAIRES.

CRAQUELINS MAISON

INGRÉDIENTS

- **3 TASSES** DE FARINE
- **3 TASSES** DE SEMOULE DE MAÏS
- **2 C. À THÉ ET DEMIE** DE SEL
- **2 TASSES** D'EAU TIÈDE
- **2 TIERS DE TASSE** D'HUILE D'OLIVE
- SEMOULE DE MAÏS POUR SAUPOUDRER
- GRAINES DE SÉSAME OU PAVOT
  OU AUTRE POUR DÉCORER

PRÉPARATION

Dans un grand bol, **MÉLANGER** la semoule et le sel. **FAIRE** un puits dans le centre, y **AJOUTER** l'eau et l'huile d'olive jusqu'à obtenir une pâte molle.

DIVISER en quatre disques et **LAISSER REPOSER** 2 heures à température ambiante.

PRÉCHAUFFER le four à 450 °F.

ABAISSER la pâte entre deux feuilles de parchemin, **DÉPOSER** celle du haut dans une plaque et **SAUPOUDRER** de semoule de maïs, **DÉPOSER** l'abaisse dessus et **TAILLER** avec un coupe pizza.

PIQUER chaque craquelin avec une fourchette et **SAUPOUDRER** de graines de sésame.

CUIRE 8 à 10 minutes, **LAISSER TIÉDIR** sur la plaque.

1 HOUMOUS MAISON

- **1 BOÎTE** DE POIS CHICHES DE 84 OZ
- **250 ML** DE JUS DE CITRON
- **2** GOUSSES D'AIL
- **500 ML** D'HUILE D'OLIVE
- **1 TASSE** DE TAHINI
- SEL ET POIVRE

2 TREMPETTES MAISON

- **1 KG** DE FROMAGE À LA CRÈME
- **250 ML** DE CRÈME SURE
- **1 SACHET** DE SOUPE À L'OIGNON
- POIVRE BLANC

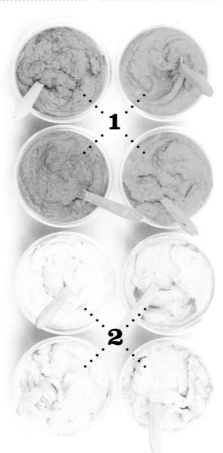

- **1** BETTERAVE CUITE, EN DÉS
- **10 ML** DE CORIANDRE MOULUE

- **2** POIVRONS ROUGES RÔTIS, SANS PEAU
- **10 ML** ZESTE D'ORANGE

- **250 ML** DE CHEDDAR JAUNE RÂPÉ FINEMENT
- **10 ML** DE CARI EN POUDRE

- **250 ML** DE FINES HERBES
- **15 ML** DE MOUTARDE DE DIJON

- **1** PATATE DOUCE BIEN CUITE, EN DÉS
- **10 ML** DE CUMIN MOULU

- **2** GROSSES CAROTTES BIEN CUITES, EN DÉS
- **10 ML** DE GINGEMBRE EN POUDRE

- **2** AVOCATS, EN CUBES
- JUS D'UNE LIME

- **30 ML** DE PAPRIKA

Pour le houmous : **ÉGOUTTER** les pois chiches et les rincer. **MÉLANGER** tous les ingrédients dans un grand bol et **TRANSFORMER** en purée à l'aide d'un robot. Bien **BATTRE** le tout et **DIVISER** en quatre.

Pour la trempette : **MÉLANGER** tous les ingrédients dans un grand bol et **TRANSFORMER** en purée à l'aide d'un robot. Bien **BATTRE** le tout et **DIVISER** en quatre.

TRANSFORMER les carottes en purée, **AJOUTER** un quart de houmous ou de trempette et **MIXER** en une purée homogène et lisse. **RÉPÉTER** avec les différents ingrédients proposés pour **OBTENIR** la couleur désirée.

RÉSERVER le houmous et la trempette au froid.

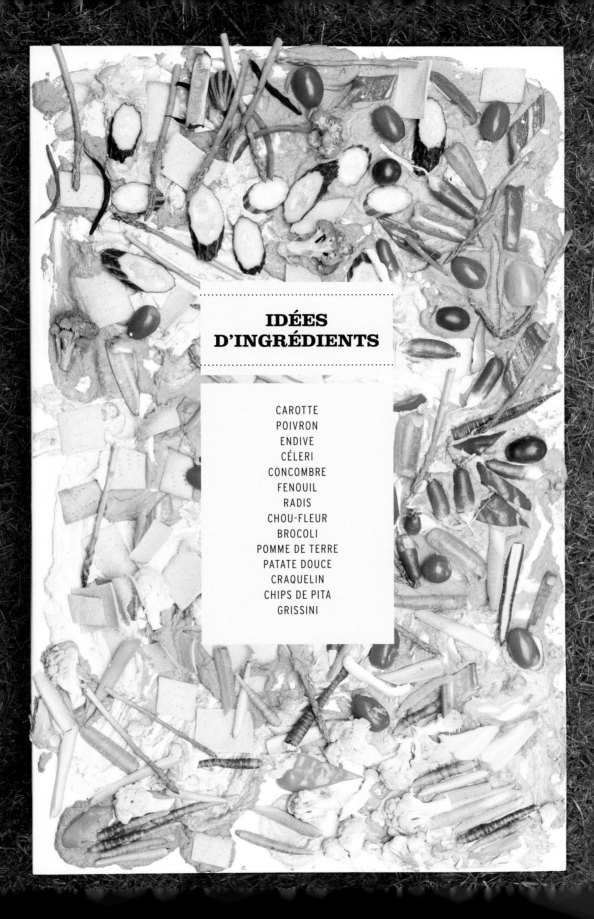

IDÉES D'INGRÉDIENTS

CAROTTE
POIVRON
ENDIVE
CÉLERI
CONCOMBRE
FENOUIL
RADIS
CHOU-FLEUR
BROCOLI
POMME DE TERRE
PATATE DOUCE
CRAQUELIN
CHIPS DE PITA
GRISSINI

GÂTEAUX

Chaque recette est pour un moule beurré et enfariné de 9 x 13 pouces (ou deux moules de 9 pouces).
CUIRE à 350 °F au centre du four de 50 à 60 minutes.

GÂTEAU AU CHOCOLAT

ÉTAPE 1

- **MÉLANGER** 2 tasses de farine
- **TAMISER** 3 c. à thé de bicarbonate de soude
- **MIXER** 3 c. à thé de poudre à pâte
- **COMBINER** 1 demi-c. à thé de sel et trois quarts de tasse de cacao

ÉTAPE 2

- **BATTRE** 2 œufs
- **CRÉMER** trois quarts de tasse d'huile de canola
- **MALAXER** 2 tasses de sucre
- **AJOUTER** 2 c. à thé de vanille

ÉTAPE 3

- **COMBINER** 1 tasse de babeurre
- **MIXER** 1 tasse de café fort (froid)

GÂTEAU À L'ORANGE

ÉTAPE 1

- **MÉLANGER** 2 tasses et trois quarts de farine
- **TAMISER** 1 c. à thé de bicarbonate de soude
- **MIXER** 3 c. à thé de poudre à pâte
- **COMBINER** 1 demi-c. à thé de sel

ÉTAPE 2

- **BATTRE** 2 œufs
- **CRÉMER** trois quarts de tasse d'huile de canola
- **MALAXER** 2 tasses de sucre
- **AJOUTER** 2 c. à thé de vanille

ÉTAPE 3

- **COMBINER** 1 tasse de babeurre
- **MIXER** 1 tasse de jus d'orange et le zeste de 2 oranges

AJOUTER au mélange d'œufs et d'huile, les ingrédients secs et liquides en alternant.

VERSER dans les moules préparés et
bien **FRAPPER** sur le comptoir pour **ÉVACUER** les grosses bulles d'air.

CUIRE au centre du four à 350 °F de 50 à 60 minutes.

LAISSER TIÉDIR avant de **RETIRER** des moules et **LAISSER REFROIDIR.**

14 X BLEU

6 X BLEU

4 X BLEU

2 X BLEU

GLAÇAGE

- **500 G** DE FROMAGE À LA CRÈME
- **1 DEMI-TASSE** DE BEURRE POMMADE
- **1-2 KG** DE SUCRE À GLACER
- COLORANTS
- VANILLE

Tout **BATTRE** ensemble à l'aide d'un mixeur sur socle.

DIVISER dans des petits bols et **COLORER** tel que désiré.

1 X ROUGE
9 X JAUNE

2 X ROUGE
4 X JAUNE

4 X ROUGE

5 X ROUGE
5 X JAUNE

20 X VERT
1 X BLEU

12 X VERT

6 X VERT
1 X BLEU

2 X VERT
2 X JAUNE

B

Pour se coucher tard quand on avait prévu rentrer tôt. Pour rencontrer quelqu'un qui va devenir un ami. Plus si affinités. Pour devenir en une soirée - clac ! - le champion de l'ouverture de l'huître.

5 À HUÎTRES

OU LE PRÉTEXTE POUR ÉTIRER LA SOIRÉE

Vodka citron

POUR 4 BOISSONS

- **4 OZ** DE VODKA
- ZESTE DE **1** CITRON EN 4 GROSSES LANIÈRES
- **2 TIGES** DE CITRONNELLE COUPÉES EN DEUX SUR LA LONGUEUR
- SODA AU CITRON
- GLAÇONS

DÉPOSER un zeste et une demi-tige de citronnelle dans chaque verre. **ÉCRASER** légèrement à l'aide d'un pilon.

AJOUTER des glaçons et 1 oz de vodka. **ALLONGER** avec le soda.

Gin césar

POUR 4 BOISSONS

- **4 OZ** DE GIN
- **1** CONCOMBRE ANGLAIS
- **1 TASSE** D'EAU
- **2 TASSES** DE JUS CLAMATO
- JUS DE **2** LIMES
- **1 PINCÉE** DE CUMIN MOULU
- GLAÇONS

RÉDUIRE le concombre en purée dans un mixeur avec l'eau et le cumin.

PASSER au chinois, **JETER** la pulpe de concombre.

Dans un pichet, **MÉLANGER** le liquide obtenu avec le reste des ingrédients et **PARTAGER** dans les 4 verres.

GARNIR de concombres en bâtonnets.

PAIN BRUN

- **2 TASSES ET QUART** DE FARINE DE BLÉ ENTIER
- **2 TASSES** DE FARINE TOUT USAGE
- **1 C. À THÉ ET DEMIE** DE BICARBONATE DE SOUDE
- **1 C. À THÉ** DE SEL
- **2 TASSES** DE BABEURRE À TEMPÉRATURE AMBIANTE
- **1 QUART DE TASSE** DE BEURRE FONDU

MÉLANGER ensemble les deux farines, le sel et le bicarbonate. **AJOUTER** le lait, le babeurre et le beurre fondu. **MALAXER** le mélange jusqu'à ce que l'appareil se tienne.

DÉPOSER sur une surface de travail enfarinée et **PÉTRIR** légèrement.

FORMER en disque et **DÉPOSER** sur une plaque enfarinée.

LAISSER REPOSER 30 minutes et **TRACER**, avec un couteau, une croix sur le dessus du pain.

PRÉCHAUFFER le four à 400 ºF.

CUIRE au centre du four de 35 à 40 minutes. **DONNER** quelques petits coups sur le pain, il devrait avoir l'air creux. **LAISSER TIÉDIR** avant de trancher le pain.

BEURRE PERSILLÉ

- **1 TASSE** DE BEURRE POMMADE
- **1 BOTTE** DE PERSIL
- **2 C. À THÉ** DE FLEUR DE SEL
- **1 PINCÉE** DE POIVRE DE CAYENNE

BLANCHIR la botte de persil et la **RÉDUIRE** en purée dans un robot.

AJOUTER le beurre et **FAIRE** un mélange homogène.

FORMER des rouleaux à l'aide de pellicule plastique.

LAISSER REFROIDIR et **COUPER** en tranches.

POMMES

- 1 POMME TAILLÉE EN BRUNOISE •
- 3 ÉCHALOTES FRANÇAISES TAILLÉES EN BRUNOISE •
- 1 DEMI-C. À SOUPE DE POIVRE CONCASSÉ •
- 1 C. À SOUPE DE MIEL •
- 1 QUART DE TASSE DE VINAIGRE DE VIN BLANC •
- 1 QUART DE TASSE DE VINAIGRE DE CIDRE •
- 1 TASSE DE JUS DE POMME •
- 1 PINCÉE DE SEL •

MÉLASSE ET ÉCHALOTES

- 1 DEMI-TASSE DE VINAIGRE DE CIDRE •
- 1 C. À THÉ DE MÉLASSE •
- 2 ÉCHALOTES FRANÇAISES TAILLÉES EN BRUNOISE •
- POIVRE CONCASSÉ •

PIMENT FORT

- 2 C. À SOUPE DE SAMBAL OELEK •
- 1 DEMI-TASSE DE VINAIGRE DE RIZ •
- 2 OIGNONS VERTS HACHÉS FINEMENT •

CITRON ET ESTRAGON

- JUS DE 4 CITRONS •
- ZESTE DE 1 CITRON •
- 1 QUART DE TASSE DE SODA •
- 2 ÉCHALOTES FRANÇAISES ÉMINCÉES •
- 1 QUART DE TASSE DE FEUILLES D'ESTRAGON HACHÉES •

SAUCE POUR LES FRUITS DE MER

- 1 DEMI-TASSE DE KETCHUP •
- 2 C. À THÉ DE PÂTE DE WASABI •
- 1 QUART DE TASSE DE JUS D'ORANGE •
- 1 C. À SOUPE DE SAUCE SOYA •

CRÈME D'OIGNONS

- **8** OIGNONS BLANCS HACHÉS GROSSIÈREMENT
- **2 C. À SOUPE** DE BEURRE
- **2 FEUILLES** DE LAURIER
- **2 LITRES** DE BOUILLON
- **1 TASSE** DE CRÈME 35 %
- **2 C. À SOUPE** DE FARINE
- SEL ET POIVRE

Dans une grande casserole couverte, **FAIRE SUER** les oignons dans le beurre avec les feuilles de laurier à feu moyen environ 10 minutes, en prenant soin de ne pas les faire brunir.

AJOUTER la farine et **CUIRE** 5 minutes sans couvercle.

AJOUTER le bouillon et **PORTER** à ébullition, **POURSUIVRE** la cuisson 10 minutes, **AJOUTER** la crème et **CUIRE** 5 minutes de plus. **RETIRER** les feuilles de laurier.

ASSAISONNER, **RÉDUIRE** en purée au mélangeur et **SERVIR**.

STEAK BARBARE

- **500 G** DE BŒUF, COUPÉ EN PETITS DÉS
- **2 C. À SOUPE** DE CACAO EN POUDRE
- **1 TIERS DE TASSE** D'OLIVES KALAMATA HACHÉES
- **2 C. À SOUPE** DE MOUTARDE DE DIJON
- **2 C. À THÉ** DE SAMBAL OELEK
- **2 C. À THÉ** DE FEUILLES D'ESTRAGON HACHÉES FINEMENT
- HUILE D'OLIVE
- SEL ET POIVRE

MÉLANGER tous les ingrédients dans un bol et **VÉRIFIER**.

SERVIR sur des croûtons ou avec des croustilles.

LE RETOUR DE VOYAGE

OU LE PRÉTEXTE POUR CLASSER SES ÉPICES EN ORDRE ALPHABÉTIQUE

B

Pour pratiquer son accent tibétain ou malais, maintenant qu'on sait dire juego de naranja avec tous les «h» à la bonne place. Pour hésiter entre 7 sortes de poivre, juste parce qu'on les a.

GINGEMBRE

CURCUMA

MOUTARDE JAUNE

CORIANDRE

POIVRE

POIVRE BLANC

CARDAMOME

FENUGREC

CUMIN

FENOUIL

CASSIA

CANNELLE

PIMENT OISEAU

PIMENT SERRANO

CARDAMOME NOIRE

PIMENT SZECHUAN

CARVI

BAIES DE GENIÈVRE

FEUILLES DE LIME

LAURIER

FEUILLES DE CARI

ORIGAN

CLOUS DE GIROFLE

ANIS ÉTOILÉ

SAFRAN

CUMIN

ÉPICES UN PEU PIQUANTES *

RECETTE DE BASE

- 1 C. À THÉ DE PIMENTS BROYÉS
- 1 C. À THÉ D'ORIGAN SÉCHÉ
- 1 MORCEAU DE CANNELLE DE 4 POUCES DE LONG
- 1 C. À THÉ DE GRAINES DE MOUTARDE
- 2 C. À SOUPE DE POIVRE NOIR EN GRAINS
- 1 DEMI-C. À THÉ DE CURCUMA

Je RÉDUIS ces épices en poudre dans un moulin électrique réservé à cet usage (pas au café ni aux graines de lin) ou encore au mortier, qui donne une texture un peu plus grossière intéressante.

SPAGHETTI CACCIO E PEPE

- **1 BOÎTE** DE SPAGHETTI
- **1 DEMI-TASSE** DE BEURRE
- **1 QUART DE TASSE** DE PARMESAN RÂPÉ
- **1 C. À SOUPE** D'ÉPICES UN PEU PIQUANTES (OU PLUS, AU GOÛT)
- **2 TASSES** DE ROQUETTE
- JUS DE **1** DEMI-CITRON

CUIRE les pâtes en suivant les instructions sur l'emballage. **ÉGOUTTER, RÉSERVER.**

FAIRE FONDRE le beurre dans un grand poêlon anti-adhésif d'environ 12 pouces,
le temps qu'il mousse. **AJOUTER** le mélange d'épices et **LAISSER** les saveurs **INFUSER**
environ une minute avant d'**AJOUTER** les pâtes directement dans la poêle.
TOUILLER en ajoutant le parmesan, la roquette et le jus de citron.
SERVIR dans un grand bol et **TROUVER** ça donc simple et si bon.

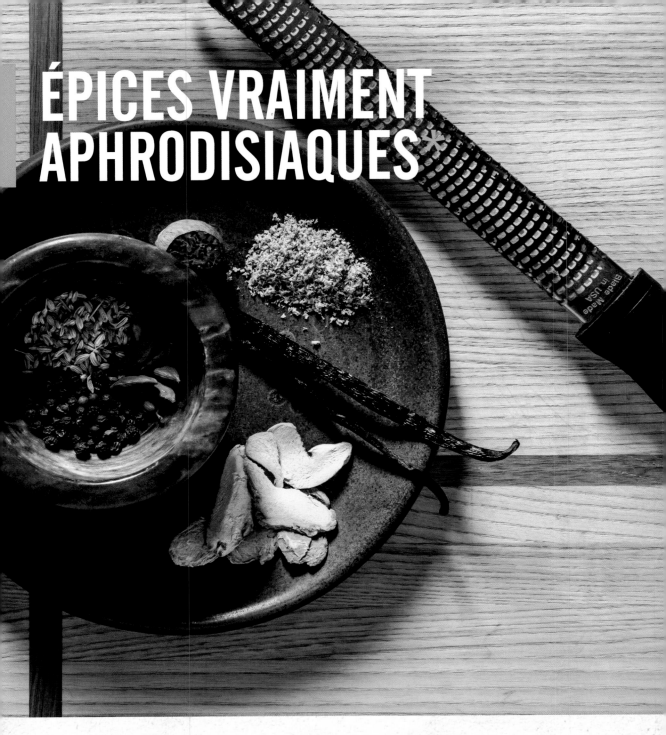

ÉPICES VRAIMENT APHRODISIAQUES*

········· **RECETTE DE BASE** ·········

4 TRANCHES DE GINGEMBRE SÉCHÉ (SI VOUS N'EN TROUVEZ PAS DANS VOTRE MARCHÉ LE PLUS PROCHE, REMPLACER PAR **1 C. À THÉ** DE GINGEMBRE MOULU)

1 C. À THÉ DE GRAINS DE POIVRE NOIR

1 DEMI-GOUSSE DE VANILLE COUPÉE EN PETITS MORCEAUX

1 C. À SOUPE DE GRAINES DE FENOUIL

5 GRAINES DE CARDAMOME

1 QUART DE C. À THÉ DE MUSCADE (FRAÎCHEMENT RAPÉE, SI POSSIBLE)

Je **RÉDUIS** ces épices en poudre dans un moulin électrique réservé à cet usage (pas au café ni aux graines de lin) ou encore au mortier, qui donne par contre une texture un peu plus grossière. Comme il faut que le mélange soit le plus fin possible, j'utilise mes muscles.

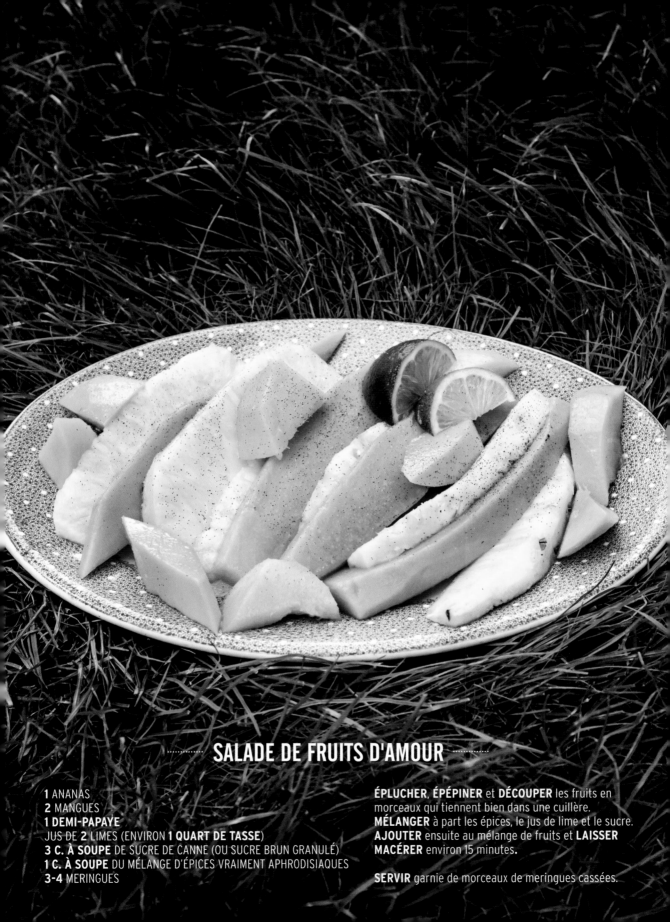

SALADE DE FRUITS D'AMOUR

1 ANANAS
2 MANGUES
1 DEMI-PAPAYE
JUS DE **2** LIMES (ENVIRON **1 QUART DE TASSE**)
3 C. À SOUPE DE SUCRE DE CANNE (OU SUCRE BRUN GRANULÉ)
1 C. À SOUPE DU MÉLANGE D'ÉPICES VRAIMENT APHRODISIAQUES
3-4 MERINGUES

ÉPLUCHER, **ÉPÉPINER** et **DÉCOUPER** les fruits en morceaux qui tiennent bien dans une cuillère.
MÉLANGER à part les épices, le jus de lime et le sucre.
AJOUTER ensuite au mélange de fruits et **LAISSER MACÉRER** environ 15 minutes**.**

SERVIR garnie de morceaux de meringues cassées.

NOIX ÉPICÉES ....

3 TASSES DE NOIX MÉLANGÉES (AU GOÛT :
NOIX DE GRENOBLE, DE CAJOU, DE BRÉSIL,
AMANDES, ETC...)
1 BLANC D'ŒUF
1 DEMI-TASSE DE SUCRE
1 C. À THÉ DE SEL
1 C. À SOUPE DU MÉLANGE D'ÉPICES

Je **RÉDUIS** ces épices en poudre dans un moulin
électrique réservé à cet usage (pas au café ni aux
graines de lin) ou encore au mortier, qui donne par
contre une texture un peu plus grossière. Comme il
faut que le mélange soit le plus fin possible, j'utilise
encore une fois mes muscles.

PRÉCHAUFFER le four à 300 °F.

Dans un grand bol, **FOUETTER** le blanc d'œuf avec le
sucre et **AJOUTER** le sel et les épices.
AJOUTER les noix et **MÉLANGER** pour bien les
recouvrir de la mixture. **ÉTENDRE** le mélange de noix
sur une tôle tapissée de papier parchemin.

THÉ CHAÏ

2 C. À SOUPE DE THÉ NOIR EN FEUILLES
1 C. À SOUPE DU MÉLANGE D'ÉPICES
1 TASSE D'EAU
1 TASSE DE LAIT
SUCRE, AU GOÛT

Dans une casserole, **AMENER** à ébullition l'eau, les feuilles de thé et les épices. **LAISSER MIJOTER** 15 minutes à feu bas. **AJOUTER** le lait et **RÉCHAUFFER** le mélanger sans bouillir. **SUCRER** au goût et **SERVIR.**

71

ÉPICES À COCKTAILS*

MÊME LES DRINKS PEUVENT ÊTRE ÉPICÉS.
PEUVENT ÊTRE UTILISÉES AUTANT DANS UN
VIN CHAUD QUE DANS UNE CRÈME BRULÉE.

RECETTE DE BASE ·············

10 FEUILLES DE LAURIER DÉCHIRÉES
1 QUART DE TASSE DE GINGEMBRE
FRAIS PELÉ ET TRANCHÉ
2 C. À SOUPE DE GRAINES DE CORIANDRE
PARTIE INFÉRIEURE DE **2 BRANCHES**
DE CITRONNELLE
ZESTE DE **1** ORANGE EN GROSSES LANIÈRES
(À L'ÉCONOME)

HACHER grossièrement le gingembre, la
citronnelle et le zeste d'orange. **AJOUTER** les
feuilles de laurier et les graines de coriandre
et **MÉLANGER**.

Pour **CONSERVER** ce mélange, il faut le **SÉCHER**
à la température ambiante sur une plaque
pendant 3 jours.

SIROP SIMPLE

1 TASSE D'EAU
1 TASSE DE SUCRE
1 QUART DE TASSE DU MÉLANGE
D'ÉPICES À COCKTAILS

PORTER les ingrédients à ébullition et **LAISSER MIJOTER**
15 minutes par la suite. **FILTRER** avec un tamis et **JETER**
les épices. **LAISSER** le sirop dans un pot Mason. **UTILISER**
comme sirop simple dans des cocktails classiques.

VODKA AROMATISÉE
AUX ÉPICES

2 TASSES DE VODKA
1 QUART DE TASSE DU MÉLANGE
D'ÉPICES À COCKTAILS

MÉLANGER le tout dans un grand pot Mason.
Si vous êtes du genre patient, **LAISSER INFUSER** pendant
1 semaine dans une armoire, loin des tentations.
Sinon, **DÉPOSER** le pot fermé dans un chaudron d'eau
bouillante. **FERMER** le feu, et **LAISSER** l'eau revenir à
la température ambiante.

FILTRER avant d'utiliser.
Aussi bon dans un cocktail classique que dans un martini.

SCREWDRIVER
NOUVEAU GENRE

2 OZ DE VODKA AROMATISÉE AUX ÉPICES
1 OZ DE SIROP SIMPLE
JUS DE **1** ORANGE FRAÎCHEMENT PRESSÉE
SODA

MÉLANGER et **SERVIR** sur des glaçons
dans un verre de type highball.
ALLONGER avec du soda.

ÉPICES COSMOPOLITES*

CE MÉLANGE COMBINE DES SAVEURS ET DES ODEURS
QU'ON N'A PAS L'HABITUDE DE TROUVER ENSEMBLE
DANS UNE EXPÉRIENCE PAS JUSTE MULTIETHNIQUE,
MAIS ULTRADIVERTISSANTE POUR LE PALAIS.

RECETTE DE BASE

2 C. À THÉ DE GRAINES DE CORIANDRE
1 C. À THÉ DE GRAINES D'ANETH
1 C. À SOUPE DE GRAINES DE PAVOT
2 C. À THÉ DE MENTHE SÉCHÉE
1 C. À SOUPE DE FEUILLES DE CARI
1 C. À SOUPE DE PÉTALES DE ROSES
1 C. À THÉ DE PIMENTS BROYÉS

Je **RÉDUIS** ces épices en poudre dans un
moulin électrique réservé à cet usage (pas
au café ni aux graines de lin) ou encore
au mortier, qui donne une texture un peu
plus grossière intéressante.

SOUPE AUX PATATES
(4-6 PORTIONS)

2 BRANCHES DE CÉLERI, HACHÉES GROSSIÈREMENT
1 CAROTTE, HACHÉE GROSSIÈREMENT
1 OIGNON, HACHÉ GROSSIÈREMENT
1 KG DE PATATES, EN GROS DÉS
1 LITRE DE BOUILLON DE POULET
1 TASSE DE CRÈME 35 %
2 C. À SOUPE DE BEURRE
2 C. À THÉ DE SEL
1 QUART DE TASSE D'HUILE D'OLIVE
1 TASSE DE CHEDDAR FORT, RÂPÉ
2 C. À SOUPE DU MÉLANGE D'ÉPICES

Au robot culinaire, **RÉDUIRE** la carotte, le céleri et l'oignon en purée. Dans un grand chaudron, **FAIRE FONDRE** le beurre et **FAIRE SUER** les légumes. **AJOUTER** le bouillon, la crème, le sel et les patates. **AMENER** à ébullition et faire ensuite **MIJOTER** 25 minutes ou jusqu'à ce que les patates commencent à se défaire, mais pas complètement.

Juste avant de servir, **ÉCRASER** quelques-unes des patates avec le fond d'une louche pour épaissir le bouillon. **MÉLANGER** les épices avec l'huile d'olive. **GARNIR** chaque bol de cheddar râpé et d'un filet de l'huile parfumée.

ÉPICES TOUTES DOUCES*

RECETTE DE BASE

3 C. À SOUPE DE BAIES DE PIMENTS DE JAMAÏQUE
1 MORCEAU DE CANNELLE DE 10 POUCES (OU L'ÉQUIVALENT)
1 GOUSSE DE VANILLLE COUPÉE EN PETITS MORCEAUX

Je **RÉDUIS** ces épices en poudre dans un moulin électrique réservé à cet usage (pas au café ni aux graines de lin) ou encore au mortier, qui donne une texture un peu plus grossière intéressante.

CROÛTONS SUCRÉS

2 TASSES DE CUBES DE PAIN RASSIS
(UN DEMI-POUCE ENVIRON)
4 C. À SOUPE DE BEURRE
1 C. À THÉ DU MÉLANGE D'ÉPICES
4 C. À SOUPE DE SUCRE

Dans une poêle à frire de 10 pouces de diamètre, **FAIRE FONDRE** le beurre et ensuite **FAIRE SAUTER** les cubes de pain pour bien les enrober. **AJOUTER** ensuite les épices et **FAIRE DORER** à feu moyen-élevé en brassant. **SAUPOUDRER** de sucre et **CARAMÉLISER** légèrement.

SERVIR sur une salade de fruits ou un morceau de foie gras poêlé.

MOUSSE AU CHOCOLAT

2 TASSES DE CRÈME 35 %
4 ŒUFS, À LA TEMPÉRATURE AMBIANTE
1 C. À SOUPE DU MÉLANGE D'ÉPICES
250 G DE PASTILLES DE CHOCOLAT NOIR À 60 %
1 QUART DE TASSE DE SUCRE À GLACER
1 PINCÉE DE SEL

CHAUFFER 1 tasse de crème 35 % avec le
mélange d'épice et **LAISSER INFUSER**
15 minutes à feu bas.

SÉPARER les jaunes des blancs d'œufs
et **RÉSERVER**.

METTRE les pastilles de chocolat dans un grand bol.
VERSER la crème chaude sur le chocolat en filtrant
les épices avec un tamis. **LAISSER** le mélange tel
quel pendant environ 5 minutes, le temps que le
chocolat fonde par lui-même. Ensuite, **FOUETTER**
vigoureusement (très important) jusqu'à obtention
d'une texture lisse.

AJOUTER les jaunes d'œuf, toujours en
fouettant, pour bien les incorporer.

Dans un mélangeur sur pied, **FOUETTER** les blancs
d'œufs avec le sel et le sucre jusqu'à l'obtention de
pics mous lustrés. **RÉSERVER**.

Dans un autre bol, **FOUETTER** la dernière tasse
de crème 35 % jusqu'à l'obtention de pics durs.
INCORPORER la crème montée au mélange
de chocolat. **AJOUTER** ensuite le mélange de
blancs d'œufs en pliant avec une maryse
sans faire sortir l'air du mélange autant
que possible

SERVIR immédiatement dans des petits bols ou
des ramequins.

C'est meilleur tout de suite, mais vous pouvez
RÉFRIGÉRER jusqu'à 24 heures.

CÔTES LEVÉES ET MARINADE À SEC

UN RUB, C'EST UNE INVENTION DE GÉNIE, POURTANT SIMPLE : UN MÉLANGE D'ÉPICES DANS LEQUEL ON AJOUTE PARFOIS DU SUCRE POUR ACCÉLÉRER LA CARAMÉLISATION, OU DU SEL POUR ACCENTUER LES SAVEURS. PARFOIS, ON AJOUTE LES DEUX. ON « FROTTE » CET ASSAISONNEMENT SUR UNE PIÈCE DE VIANDE AVANT DE LA FAIRE GRILLER AU BBQ OU RÔTIR AU FOUR. TOUS LES MÉLANGES D'ÉPICES DE CETTE SECTION PEUVENT ÊTRE UTILISÉS COMME MARINADE À SEC.

2 CARRÉS DE CÔTES LEVÉES *BABY BACK*
1 QUART DE TASSE DE MÉLANGE D'ÉPICES UN PEU PIQUANTES
1 DEMI-TASSE DE SUCRE BRUN GRANULÉ
2 C. À THÉ DE SEL

PRÉCHAUFFER le four à 300 ºF.
MÉLANGER ensemble le sucre, le sel et les épices.
PARER une plaque de papier d'aluminium et **METTRE** des grilles à biscuits par dessus. Bien **FROTTER** les côtes levées du mélange d'épices et **DÉPOSER** ensuite les carrés sur la plaque, les os vers le haut.

CUIRE au centre du four environ 3 heures en tournant la plaque aux 45 minutes. **LAISSER REPOSER** la viande 10 minutes à la sortie du four.

Un souper improvisé
OU LE PRÉTEXTE POUR UNE FONDUE

B

Pour manger vraiment
longtemps pendant
que tout reste chaud
quand même. Pour
que quelqu'un dise
« Caquelon, ça vient d'où,
au juste ?». Pour qu'on
fasse un tour de table
sur la question.

- **500 ML** DE VIN BLANC SEC
- **500 G** DE GRUYÈRE RÂPÉ
- **500 G** DE MIMOLETTE
  OU DE VIEUX GOUDA RÂPÉ
- **30 ML** DE JUS DE CITRON
- **2 C. À SOUPE** DE FÉCULE DE MAÏS
- **1 QUART DE TASSE** DE SUCRE
- **30 ML** DE RHUM FONCÉ
- **1 PINCÉE** DE POIVRE DE CAYENNE

....

CARAMÉLISER le sucre à feu vif dans un caquelon.

AJOUTER le vin et le jus de citron, puis **CHAUFFER** jusqu'au point d'ébullition.

RÉDUIRE à feu moyen et **AJOUTER** le fromage en remuant constamment.

DÉLAYER la fécule dans le rhum et **AJOUTER** au mélange de fromage en fouettant.

FAIRE CUIRE le temps que la texture devienne homogène.

ASSAISONNER avec le poivre de Cayenne.

SALER au besoin.

FONDUE AU
VIN BLANC

FONDUE À BASE DE BOUILLON

- **500 ML** DE BOUILLON DE POULET
- **500 G** DE GRUYÈRE
- **500 G** DE CHEDDAR

- **30 ML** DE JUS DE CITRON
- **2 C. À SOUPE** DE FÉCULE DE MAÏS
- **30 ML** DE VODKA

- **2 C. À SOUPE** DE MOUTARDE DE MEAUX
- **1 PINCÉE** DE POIVRE DE CAYENNE
- SEL ET POIVRE

FAIRE CHAUFFER le bouillon avec le jus de citron jusqu'au point d'ébullition.

BAISSER à feu moyen et **AJOUTER** le fromage en remuant constamment.

DÉLAYER la fécule dans la vodka et **AJOUTER** au mélange de fromage tout en fouettant.

FAIRE CUIRE le temps que la texture devienne homogène.

ASSAISONNER avec la moutarde, le poivre de Cayenne, le sel et le poivre.

PETITES POMMES DE TERRE AVEC ASPERGES

INSÉRER DES ASPERGES BLANCHIES DANS UNE POMME DE TERRE BOUILLIE ET TIÉDIE, TROUÉE AVEC UN VIDE-POMME.

GRAVLAX DE SAUMON

TRANCHER UN GRAVLAX MAISON EN FINES LANIÈRES D'UNE BOUCHÉE QU'ON PIQUE AVEC SA FOURCHETTE À FONDUE.

CUBES DE BŒUF SAISIS

SAISIR DES CUBES DE STEAK
SALÉS-POIVRÉS D'ENVIRON 1 POUCE.
DANS UNE POÊLE, À FEU ÉLEVÉ,
AVANT DE LAISSER TIÉDIR.

TOMATES FARCIES AU CHÈVRE

ÉVIDER ET FARCIR DE CHÈVRE
FRAIS DES TOMATES-CERISES
AVANT DE REMETTRE LE CHAPEAU
EN PLACE À L'AIDE D'UN BRIN
DE CIBOULETTE.

CROÛTONS

TAILLER EN CUBES UN PAIN RASSIS,
DÉTAILLER UN CARRÉ SUR UNE FACE
SANS PERCER LE FOND, FAIRE UNE
INCISION SUR LE CÔTÉ POUR DÉTACHER
LA MIE, RÔTIR 45 MINUTES À 300 °F.

RILLETTES DE CANARD

LAISSER TIÉDIR AVANT DE REMPLIR DE
RILLETTES DE CANARD OU DE TOUTE
AUTRE GARNITURE FAVORITE.

CHOUX-FLEURS TREMPÉS DANS DU CARAMEL AVEC DES PIMENTS BROYÉS

TREMPER DES BOUQUETS DE CHOU-FLEUR BLANCHIS DANS DU CARAMEL AVANT DE SAUPOUDRER DE PIMENT BROYÉ. MANGER AUSSITÔT, AVANT QUE LE CARAMEL NE FONDE.

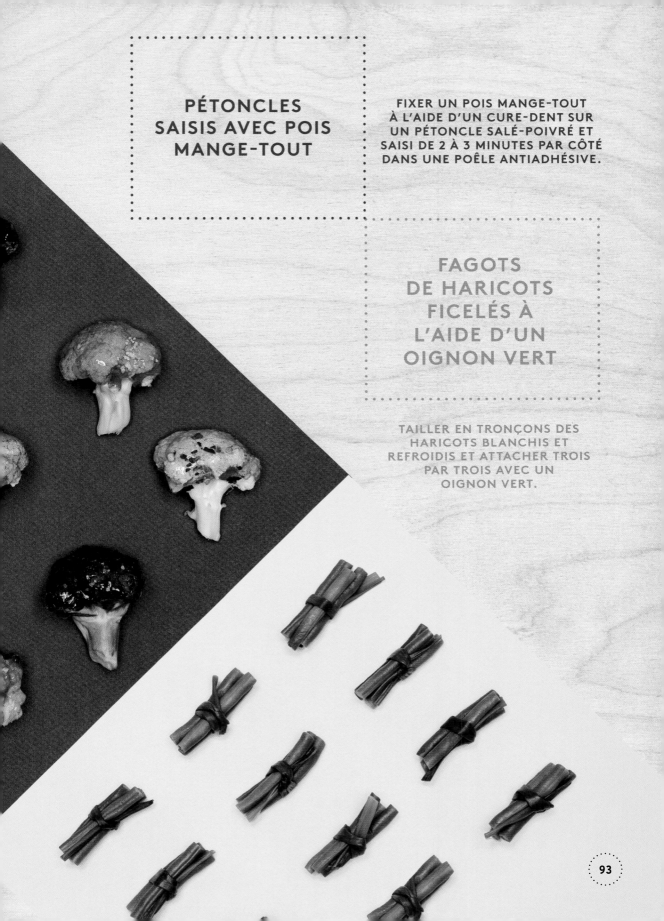

PÉTONCLES SAISIS AVEC POIS MANGE-TOUT

FIXER UN POIS MANGE-TOUT À L'AIDE D'UN CURE-DENT SUR UN PÉTONCLE SALÉ-POIVRÉ ET SAISI DE 2 À 3 MINUTES PAR CÔTÉ DANS UNE POÊLE ANTIADHÉSIVE.

FAGOTS DE HARICOTS FICELÉS À L'AIDE D'UN OIGNON VERT

TAILLER EN TRONÇONS DES HARICOTS BLANCHIS ET REFROIDIS ET ATTACHER TROIS PAR TROIS AVEC UN OIGNON VERT.

- **1 LITRE** DE VIN BLANC
- **500 ML** D'EAU
- **1 QUART DE TASSE** DE SUCRE
- **1** ORANGE EN QUARTIERS
- **3 FEUILLES** DE LAURIER
- **3 TRANCHES** DE GINGEMBRE
- **5** GOUSSES DE CARDAMOME
- **1 C. À SOUPE** DE CORIANDRE EN GRAINS
- **60 ML** DE TRIPLE-SEC

FAIRE BOUILLIR l'eau avec les aromates pendant 5 minutes.

BAISSER à feu doux, **AJOUTER** le vin et **CHAUFFER** tranquillement.

FILTRER et **AJOUTER** le triple sec.

VIN BLANC
AUX ÉPICES

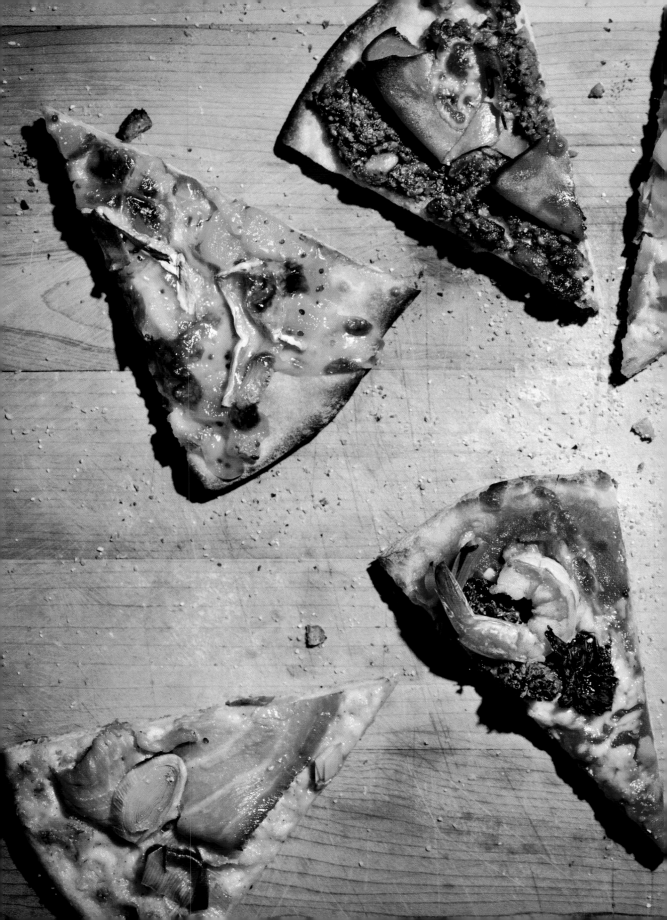

LE VENDREDI SOIR

Ou le prétexte pour une bonne piz'

B

Pour s'apercevoir que faire la pâte, c'est tellement niaiseux qu'on était niaiseux de ne pas avoir essayé avant. Pour découvrir la quantité folle de garnitures qu'on peut faire avec genre quatre ingrédients.

Préparation pour PÂTE à PIZZA

FAIRE SA PÂTE, C'EST SIMPLE. LA SEULE CHOSE QUI DEMANDE UN EFFORT, C'EST DE PLANIFIER LES TEMPS DE PAUSE. POUR ÊTRE PRÊT À GARNIR MES PIZZAS LE SAMEDI, JE FAIS LE MÉLANGE LE VENDREDI MATIN, JE LAISSE GONFLER LA PÂTE, JE LA BATS LE SOIR, AVANT DE LA METTRE AU FRIGO POUR LA NUIT. AND VOILÀ !

- 5 TASSES ET DEMIE DE FARINE « 00 » + EXTRA POUR SAUPOUDRER
- 1 DEMI-C. À THÉ DE LEVURE SÈCHE
- 2 TASSES D'EAU TIÈDE
- 3 C. À SOUPE DE SEL CACHER

SI JE N'AI PAS LE TEMPS DE FAIRE MA PÂTE, C'EST PAS COMPLIQUÉ : JE L'ACHÈTE TOUTE PRÊTE DANS N'IMPORTE QUELLE PIZZERIA.

MÉLANGER à basse vitesse pendant 1 minute la farine, l'eau et la levure dans le bol d'un malaxeur.

PASSER ensuite à la vitesse moyenne pendant 4 minutes.

AJOUTER le sel et continuer de MÉLANGER pendant 5 minutes.

DÉPOSER la pâte dans un grand bol enfariné, bien COUVRIR et laisser la pâte doubler de volume environ 8 heures, puis la BATTRE. RÉFRIGÉRER au moins 8 heures.

DIVISER la pâte en 8 parts égales sur une surface enfarinée, ROULER les 8 parts en boules et DÉPOSER sur 2 plaques enfarinées. Bien COUVRIR et LAISSER DOUBLER de volume environ 8 heures.

Gentille Gentiane et Gin

POUR 4 VERRES

- **4 OZ** DE LIQUEUR DE GENTIANE
- **4 OZ** DE GIN
- **12 FINES RONDELLES** DE CONCOMBRE
- **12 FINES RONDELLES** DE CÉLERI
- **12 FEUILLES** DE CÉLERI OU DE PERSIL
- **2** CANETTES DE SODA OU DE SODA AU GINGEMBRE

VERSER 1 oz de chaque alcool et le quart des rondelles de concombre et des feuilles de céleri dans des verres de forme allongée.

AJOUTER les glaçons. **ALLONGER** avec le soda.

Le Niavlis

POUR 4 VERRES

- **4 OZ** D'AMARO
- **4 OZ** DE GIN
- **4 OZ** D'APEROL
- **4 QUARTIERS** D'ORANGE
- GLAÇONS

Bien **MÉLANGER** les alcools avec les glaçons.

SERVIR dans un verre old fashioned avec les quartiers d'orange.

Frozen Trouble

POUR 4 VERRES

- **4 OZ** DE GRAPPA
- **4 OZ** DE BRANDY
- **2 OZ** DE SAMBUCA
- **20** RAISINS CONGELÉS

MÉLANGER les alcools et les **CONSERVER** une nuit au congélateur.

SERVIR dans un verre old fashioned, **AJOUTER** les raisins en guise de glaçons.

ATTENTION, ÇA TAPE.

Les SAUCES

LES SAUCES CLASSIQUES, IL EN FAUT TOUJOURS. MAIS QUAND UN CONCASSÉ DE PISTACHES OU UNE MOUTARDE AUX FRUITS ARRIVENT SUR LA TABLE, C'EST D'ELLES QU'ON PARLE, JUSTE D'ELLES, POUR LE RESTE DE LA VIE.

tomate

- **1 BOÎTE DE 800 G** DE TOMATES ENTIÈRES
- **1 PETIT OIGNON COUPÉ EN DEUX**
- **1 PINCÉE** D'ORIGAN SEC
- HUILE D'OLIVE

VIDER la boîte de tomates dans une passoire posée sur une casserole.

ÉCRASER légèrement les tomates pour sortir l'eau de végétation.

DÉPOSER la chair dans un bol et bien l'**ÉCRASER**.

FAIRE RÉDUIRE le jus des tomates avec l'oignon, l'origan et un soupçon d'huile.

ENLEVER l'oignon et **AJOUTER** la chair des tomates. Bien **MÉLANGER**, **SALER** et **RÉSERVER**.

moutarde di frutta

- **6** POIRES BOSC BEURRÉES, ÉPLUCHÉES ET DÉCOUPÉES EN PETITS DÉS
- **1 DEMI-TASSE** DE SUCRE
- **1 C. À SOUPE** DE MOUTARDE EN POUDRE
- **1 C. À SOUPE** DE MOUTARDE EN GRAINS
- **1 C. À SOUPE** DE MOUTARDE DE DIJON
- **60 ML** DE VINAIGRE DE CIDRE
- **1 C. À THÉ** DE SEL ET POIVRE

MÉLANGER tous les ingrédients dans un bol, sauf le vinaigre, et **LAISSER REPOSER** 1 heure.

ÉGOUTTER et **GARDER** le jus.

RÉDUIRE le jus avec le vinaigre jusqu'à ce que le liquide soit presque évaporé.

AJOUTER les poires et **FAIRE CUIRE** à feu très doux pendant 30 minutes.

LAISSER REFROIDIR.

pesto

- **2 TASSES** DE FEUILLES DE BASILIC
- **1 DEMI-TASSE** DE PERSIL
- **1 DEMI-TASSE** DE NOIX AU CHOIX
- **1 TASSE** DE PARMESAN RÂPÉ
- **ENTRE 1 QUART ET 1 DEMI-TASSE** D'HUILE D'OLIVE
- JUS DE CITRON
- SEL ET POIVRE

MÉLANGER le tout au robot et **VÉRIFIER** l'assaisonnement.

pistaches à tartiner

- **2 TASSES** DE PISTACHES SANS LES COQUILLES
- **1 QUART DE TASSE** D'OLIVES VERTES DÉNOYAUTÉES
- **1 QUART DE TASSE** DE PERSIL FINEMENT HACHÉ
- **1 QUART DE TASSE** D'HUILE D'OLIVE

RENDRE en purée dans un robot culinaire. Pas trop lisse.

blanche

- **1 QUART DE TASSE** DE FARINE
- **1 QUART DE TASSE** DE BEURRE
- **250 ML** DE CRÈME 35 %
- SEL ET POIVRE, MUSCADE

FAIRE un roux avec la farine et le beurre.

AJOUTER la crème, **AMENER** à ébullition.

ASSAISONNER et **RÉSERVER**.

Garnitures

1. orange, fenouil et olives

- **250 ML** D'OLIVES DÉNOYAUTÉES
- **1** BULBE DE FENOUIL ÉMINCÉ FINEMENT
- **60 ML** D'HUILE D'OLIVE
- **1** ORANGE, JUS ET ZESTE

CUIRE tous les ingrédients à feu doux dans une casserole couverte pendant 15 minutes.

2. ail

- **6** TÊTES D'AIL EN GOUSSE
- **2 FEUILLES** DE LAURIER
- **1 TASSE** D'HUILE D'OLIVE

CUIRE à feu moyen dans une petite casserole les gousses d'ail avec les feuilles de laurier.

ARRÊTER lorsqu'elles seront assez molles pour être écrasées.

GARDER l'huile pour les salades.

3. champignons

- **450 G** DE CHAMPIGNONS ÉMINCÉS
- **1** GOUSSE D'AIL EN TRANCHES
- JUS DE **1** CITRON
- HUILE D'OLIVE
- SEL ET POIVRE

Bien **DORER** les champignons et l'ail. **DÉGLACER** avec le jus de citron. **SALER** et **POIVRER**.

4. poireaux au four

- **2** POIREAUX ÉMINCÉS
- FEUILLES DE **2 BRANCHES** DE THYM
- HUILE D'OLIVE
- SEL ET POIVRE

METTRE le tout sur une plaque de cuisson et **FAIRE CUIRE** au four à 400 °F pendant 15 à 20 minutes.

5. bacon épicé

- **200 G** DE BACON ÉMIETTÉ
- **15 ML** DE PIMENT FORT BROYÉ

Dans une poêle, **ASSAISONNER** et cuire le bacon à feu moyen jusqu'à ce qu'il soit croustillant.

RÉSERVER le gras pour, plus tard, **FAIRE SAUTER** des pommes de terre.

6. rapini blanchi

- **1 DEMI-BOTTE** DE RAPINI LAVÉ ET TRANCHÉ
- **10 ML** DE PIMENT FORT BROYÉ
- HUILE D'OLIVE
- SEL

BLANCHIR le rapini pendant 3 minutes dans une eau salée portée à ébullition.

ÉGOUTTER ET PRESSER le rapini pour **RETIRER** l'excédent d'eau.

ARROSER d'huile, de piments broyés et de sel.

autres idées

MORTADELLE EN CUBES
POULET EFFILOCHÉ
SAUMON FUMÉ
CREVETTES MARINÉES
JAMBON EN DÉS
RESTES DE RÔTI DE BŒUF
PROVOLONE
FÉTA
PARMESAN
CHÈVRE
FONTINA
MOZZARELLA
BRIE
CAMEMBERT
OIGNONS
POIVRONS
HERBES FRAÎCHES
ROQUETTE
TOMATES

105

Jambon et tartinade
aux pistaches

Saumon
fumé, poireaux
et sauce blanche

Crevettes, rapinis et sauce tomate

Brie et moutarde di frutta

C'EST DIMANCHE

Ou le prétexte pour une grasse matinée

B

Pour être en pleine forme quand on voit ses amis. Pour boire du mousseux à midi. Pour regarder le chat dormir dans le rayon du soleil et se dire qu'on est même pas jaloux.

COCKTAILS PÉTILLANTS

DEUX DIFFÉRENTS COCKTAILS À BASE DE CAVA

COCKTAIL 1

Dans le fond d'une flûte, **DISPOSER** 2 olives, **VERSER** 50 ml de jus de tomate, une pincée de sel de céleri. **REMPLIR** avec du cava.

COCKTAIL 2

VERSER 5 ml d'eau de fleur d'oranger, 50 ml de jus de poire et le cava sec à la convenance de chacun.

CAVA, POURQUOI ?

Parce que ce mousseux est plus sec et plus abordable que le prosecco, par exemple. Et qu'il y a tellement moins de risque de faire une faute en l'écrivant : « cava », avec un c.

ŒUFS DURS AU BEURRE BLANC ET AUX OLIVES

- **8 ŒUFS**
- **250 G** DE BEURRE FROID EN CUBES
- **60 ML** DE VINAIGRE DE RIZ
- **125 ML** DE FOND DE VOLAILLE
- **1 QUART DE TASSE** D'OLIVES KALAMATA HACHÉES
- **1 ÉCHALOTE FRANÇAISE** HACHÉE
- **1 TASSE** D'ÉPINARDS BLANCHIS
- **8 CROÛTONS**

FAIRE CUIRE l'échalote et les olives dans le vinaigre et le fond de volaille jusqu'à évaporation complète du liquide.

AJOUTER le beurre, cube par cube, en fouettant.

RÉSERVER la sauce.

DÉPOSER les œufs dans une casserole d'eau et couvrir.

AMENER à ébullition et **RETIRER** du feu.

LAISSER REPOSER avec le couvercle 8 minutes. **ÉPLUCHER.**

GARNIR chaque croûton de quelques feuilles d'épinard, **DÉPOSER** l'œuf, l'**ÉCRASER**, puis **NAPPER** l'œuf de sauce.

SALADE MIXTE

- **1** TÊTE DE LAITUE ROMAINE DÉCHIRÉE
- **1** TÊTE DE LAITUE BOSTON DÉCHIRÉE
- **1** PIMENT JALAPENO HACHÉ FINEMENT
- **1 TASSE** DE CHEDDAR FORT RÂPÉ FINEMENT
- **200 ML** DE CRÈME 35 %
- JUS DE **1** CITRON
- **1 C. À SOUPE** DE SUCRE
- **1 C. À SOUPE** DE SEL

CHAMBRER la crème environ 4 heures avec le sucre et le sel.

AJOUTER le jus de citron et **LAISSER REPOSER** 5 minutes.

AJOUTER le piment et le cheddar, et **FOUETTER** jusqu'à l'obtention de pics mous.

ARROSER la salade de ce mélange.

POMMES DE TERRE À LA NÉPALAISE

- **1 KG** DE POMMES DE TERRE JAUNES COUPÉES EN DEUX SUR LA LONGUEUR
- **6** OIGNONS VERTS HACHÉS
- **1 DEMI-BOTTE** DE CORIANDRE FRAÎCHE HACHÉE
- **2 C. À THÉ** DE CURCUMA
- **2 C. À THÉ** DE POUDRE DE CHILI
- **2 C. À THÉ** DE GRAINES DE FENUGREC
- **1 DEMI-TASSE** D'HUILE DE CANOLA
- **1** GOUSSE D'AIL HACHÉE
- **1** PIMENT JALAPENO HACHÉ FINEMENT
- **1 C. À SOUPE** DE GINGEMBRE HACHÉ FINEMENT
- JUS DE **8** LIMES
- SEL

DÉPOSER les pommes de terre sur une plaque huilée. **BADIGEONNER** d'huile et **SALER**. **CUIRE** au centre du four à 400 ºF pendant 45 minutes.

La cuisson terminée, **TAILLER** en cubes et **RÉSERVER** dans un saladier.

Dans une poêle, **CHAUFFER** l'huile à feu moyen avec le fenugrec le temps que les graines soient bien dorées.

AJOUTER le curcuma, la poudre de chili, l'ail, le gingembre, les oignons et le piment jalapeno, et **POURSUIVRE** la cuisson 1 minute.

RETIRER la poêle du feu, **AJOUTER** la coriandre et le jus de lime, **VERSER** sur les patates et **RECTIFIER** l'assaisonnement.

SALADE DE TOMATES

- **1 KG** DE TOMATES COLORÉES EN RONDELLES ET EN QUARTIERS
- **1** DEMI-OIGNON ROUGE ÉMINCÉ
- **1** ORANGE, JUS ET ZESTE
- **1** CITRON, JUS ET ZESTE
- **1 TASSE** DE RAISINS EN MOITIÉS
- **200 G** DE FROMAGE FÉTA ÉMIETTÉ
- **1 DEMI-TASSE** DE FEUILLES DE BASILIC DÉCHIRÉES
- **60 ML** D'HUILE DE NOIX
- SEL ET POIVRE

MÉLANGER le jus et le zeste des agrumes aux oignons, puis **LAISSER REPOSER** 15 minutes.

AJOUTER l'huile de noix, le sel et le poivre.

PLACER les tomates aléatoirement dans une assiette.

DISPERSER le fromage, les raisins et le basilic sur les tomates et **ARROSER** de vinaigrette.

GÂTEAU RENVERSÉ AUX POIRES

- **1 BÂTONNET** DE BEURRE (**1 DEMI-TASSE**)
- **1 TIERS DE TASSE** DE CASSONADE
- **2 C. À SOUPE** DE GINGEMBRE CONFIT COUPÉ EN DÉS
- **3** POIRES POCHÉES TRANCHÉES

L'APPAREIL
- **1 BÂTONNET** DE BEURRE POMMADE
- **1 TASSE** DE SUCRE
- **2 ŒUFS**
- **75 ML** DE LAIT
- **1 TASSE ET DEMIE** DE FARINE
- **1 C. À THÉ** DE POUDRE À PÂTE
- **2 C. À THÉ** DE VANILLE
- **1 C. À SOUPE** DE GINGEMBRE EN POUDRE
- **1 C. À THÉ** DE SEL

PRÉCHAUFFER le four à 350 ºF.

MÉLANGER le lait et la vanille. **MÉLANGER** la farine, la poudre à pâte, le gingembre et le sel.

FOUETTER le beurre et le sucre ensemble jusqu'à l'obtention d'une texture crémeuse.

AJOUTER un œuf à la fois, puis la farine en alternant avec le lait. Ne pas trop **MÉLANGER**.

FAIRE FONDRE le beurre et la cassonade au four dans un moule à fond amovible.

SORTIR le moule et **DÉPOSER** les tranches de poires et le gingembre confit.

VERSER l'appareil sur les poires et **CUIRE** au centre du four 45 minutes.

SORTIR et **LAISSER TIÉDIR** 30 minutes avant de **RENVERSER**.

La Finale

...ou le prétexte pour manger devant la télé

B
Pour manger de la
moutarde jaune, des
saucisses à hot-dog, des
nachos, des burgers, des
ailes de poulet et dire
« aïe je mange ça une fois
par année ! ». Ben voyons
donc. Comme si y avait
juste une game
dans l'année.

FEUILLETÉS AUX
SAUCISSES

- **1** ABAISSE DE PÂTE FEUILLETÉE
- **4** SAUCISSES DE TYPE BRATWURST CUITES
  ET COUPÉES EN 8 BÂTONNETS
- **1 TIERS DE TASSE** DE MOUTARDE EN GRAINS
- **2** OIGNONS VERTS HACHÉS FINEMENT
- **1** ŒUF BATTU DANS **30 ML** D'EAU

MÉLANGER la moutarde et les oignons verts.

BADIGEONNER l'abaisse de pâte feuilletée avec
le mélange de moutarde.

COUPER la pâte feuilletée en 4 rectangles
égaux, et **COUPER** encore chaque rectangle
en 8 sur la largeur.

POSER un morceau de saucisse sur le bout de
chaque lanière de pâte et **ENROULER**.

PRÉCHAUFFER le four à 400 °F.

COUVRIR de papier parchemin deux plaques de
cuisson et y **RÉPARTIR** les saucisses. **PLACER** au
congélateur 20 minutes.

SORTIR du congélateur, **BADIGEONNER**
du mélange de jaune d'œuf et **CUIRE** au centre
du four 20 minutes.

NACHOS
EMPANADAS

- **1 SAC** DE NACHOS RONDS
- **2 TASSES** DE CHEDDAR FORT RÂPÉ
- **2 TASSES** DE MOZZARELLA RÂPÉE
- **2** OIGNONS
- **1 DEMI-TASSE** DE RAISINS SECS
- **1 TASSE** D'OLIVES VERTES TRANCHÉES
- **1 TASSE** DE CHAIR À SAUCISSE PIQUANTE
- **2 C. À THÉ** DE CUMIN MOULU
- **1 DEMI-TASSE** DE CORIANDRE FRAÎCHE HACHÉE FINEMENT
- **1 C. À SOUPE** DE BEURRE

CARAMÉLISER les oignons dans le beurre, **AJOUTER** la chair de saucisse, le cumin, les raisins, les olives et la coriandre. **CUIRE** 20 minutes.

PRÉCHAUFFER le gril du four.

DÉPOSER les nachos sur une plaque, les **GARNIR** du mélange des deux fromages et de la préparation de chair à saucisse. **METTRE** au four le temps que le fromage fonde.

GARNIR de coriandre fraîche.

AILES
DE POULET
AU FOUR

- **2 KG** D'AILES DE POULET
- **30 ML** D'HUILE DE CANOLA
- **1 C. À SOUPE** DE SEL
- **1 C. À THÉ** DE POIVRE DU MOULIN

SAUCE
- **1 QUART DE TASSE** DE SAUCE PIQUANTE RED HOT
- **1 C. À SOUPE** DE CARI EN POUDRE
- SEL ET POIVRE AU GOÛT

MÉLANGER la sauce piquante avec le cari. **RÉSERVER.**

PRÉCHAUFFER le four à 400 °F.

Dans un grand bol, **MÉLANGER** les ailes, l'huile, le sel et le poivre, et **RÉPARTIR** sur deux grilles en métal déposées sur des lèchefrites.

FAIRE CUIRE de 45 à 50 minutes.

À la sortie du four, **ENROBER** de sauce et **ASSAISONNER.**

Une vraie sauce de gars, tout-en-un, qui simplifie par 100 l'assemblage des burgers, tellement bonne que notre ami untel (on en a tous un) va la manger de même, à la cuillère.

MINI-BURGERS ET SAUCE MAGMA

- **250 G** DE BŒUF HACHÉ
- **250 G** DE PORC HACHÉ
- **1 SACHET** DE SAUCE DEMI-GLACE
- **1 DEMI-TASSE** DE CHAPELURE DE PAIN
- **1** ŒUF
- **2** TOMATES ITALIENNES EN TRANCHES
- FEUILLES DE LAITUE

SAUCE
- **1 QUART DE TASSE** DE MOUTARDE JAUNE
- **1 QUART DE TASSE** DE MAYONNAISE
- **1 QUART DE TASSE** DE KETCHUP
- **1** ÉCHALOTE FRANÇAISE HACHÉE FINEMENT
- **1 TIERS DE TASSE** DE CORNICHONS HACHÉS FINEMENT
- **1 QUART DE TASSE** DE CHEDDAR RAPÉ FINEMENT
- **12** MINI-PAINS BRIOCHÉS

MÉLANGER tous les ingrédients pour la sauce. **RÉSERVER**.

PRÉCHAUFFER le four à 400 °F.

MÉLANGER le bœuf, le porc, l'œuf, la chapelure et le sachet de demi-glace. **FAÇONNER** 12 galettes.

DORER les galettes dans une poêle antiadhésive et **METTRE** au four de 8 à 10 minutes pour terminer la cuisson.

GARNIR chaque mini-pain avec un peu de sauce, une tranche de tomate, de la laitue et une boulette de viande.

MINI-GÂTEAUX AU FROMAGE

PÂTE
- **1 TASSE** DE MIETTES DE BISCUITS GRAHAM
- **1 QUART DE TASSE** DE BEURRE FONDU
- **1 C. À SOUPE** DE SUCRE

GARNITURE
- **450 G** DE FROMAGE À LA CRÈME À TEMPÉRATURE AMBIANTE
- **1 DEMI-TASSE** DE CRÈME SURE
- **2 TIERS DE TASSE** DE SUCRE GRANULÉ
- **2** GROS ŒUFS
- **1 PINCÉE** DE SEL
- ZESTE DE **1** CITRON
- **1 C. À THÉ** DE VANILLE
- **1 QUART DE TASSE** DE CONFITURE

PRÉCHAUFFER le four à 300 °F.

DISPOSER 12 moules en papier dans un moule à muffins.

MÉLANGER les ingrédients pour la pâte et **PARTAGER** dans les 12 moules. Bien **PRESSER** la pâte au fond des moules et **RÉFRIGÉRER** le temps de **PRÉPARER** la garniture.

BATTRE ensemble le fromage, le sucre, le zeste, la vanille et le sel jusqu'à l'obtention d'une texture crémeuse. **INCORPORER** la crème sure, puis les œufs un à la fois.

RÉPARTIR la garniture dans les moules.

CUIRE au centre du four 20 minutes ou jusqu'à ce que les mini-gâteaux soient fermes, mais toujours tendres à l'intérieur.

LAISSER TIÉDIR au moins 1 heure, **GARNIR** de confiture.

LE
RUSH

OU LE PRÉTEXTE POUR APPORTER SON LUNCH

B

Pour trouver qu'on travaille trop, mais que c'est pas une excuse pour manger n'importe quoi. Pour décider que le sandwich au jambon a droit à des vacances. Pour avoir presque plus hâte à midi qu'à 17 heures.

BAVETTE (LONGTEMPS) MARINÉE

INGRÉDIENTS

- **500 G** DE BAVETTE DE BŒUF
- **30 ML** DE SAUCE SOYA
- **2 C. À SOUPE** DE MISO
- **15 ML** D'HUILE DE SÉSAME
- **60 ML** DE SIROP D'ÉRABLE
- **1 PINCÉE** DE POIVRE DE CAYENNE
- **1** OIGNON VERT ÉMINCÉ

PRÉPARATION

MÉLANGER la sauce soya, le miso, l'huile de sésame et la pincée de poivre de Cayenne dans un sac à glissière et **DÉPOSER** la pièce de viande. **ÉVACUER** le surplus d'air et **RÉFRIGÉRER** pendant 24 heures.

FAIRE CHAUFFER le four à 400 ºF.

CHAMBRER la viande et son assaisonnement, et **ENLEVER** l'excédent de marinade.

FAIRE CHAUFFER une poêle allant au four à feu vif et y **FAIRE REVENIR** la bavette de chaque côté, puis la **METTRE** au four 10 minutes.

ENLEVER la viande de la poêle et **AJOUTER** l'oignon et le sirop d'érable pour en faire une sauce.

LAISSER la viande **REPOSER** au moins 5 minutes avant de la **TRANCHER** finement.

Aussi délicieux froid que chaud.

SOUPE AU POULET PARFUMÉE

INGRÉDIENTS

SOUPE
- **1 LITRE** DE BOUILLON DE POULET
- **3 GROSSES TRANCHES** DE GINGEMBRE
- **3** ANIS ÉTOILÉS
- **1 BÂTONNET** DE CANNELLE
- **2** PIMENTS SECS
- **30 ML** DE SAUCE SOYA
- **2 C. À SOUPE** DE SUCRE

GARNITURE
- **1** POITRINE DE POULET CUITE EN LAMELLES
- **1** CAROTTE COUPÉE EN JULIENNE
- **1** PETIT CONCOMBRE ÉPÉPINÉ EN DEMI-LUNES
- FEUILLES DE BASILIC ET DE MENTHE
- **1 TASSE** DE NOUILLES DE RIZ CUITES

PRÉPARATION

AMENER le bouillon à ébullition avec les aromates, le **FAIRE RÉDUIRE** aux trois quarts, **LAISSER TIÉDIR**, et **CONSERVER** au froid toute la nuit.

Pour le lunch, **PASSER** le bouillon au tamis et **RÉCHAUFFER** dans un grand bol. **FAIRE** un nid des nouilles, y **DÉPOSER** le poulet, la carotte, et le concombre, **VERSER** le bouillon chaud et **GARNIR** d'herbes.

UN PEU DE VERDURE

INGRÉDIENTS

PRÉVOIR 6 TASSES D'UN MÉLANGE DE 3 DES INGRÉDIENTS ÉNUMÉRÉS :

- ÉPINARDS, BETTE À CARDE SANS TIGE, CHOU CHINOIS ÉMINCÉ, BABY BOK CHOY EN QUARTIERS, CHOU FRISÉ ÉMINCÉ, RAPINIS COUPÉS EN 2 SUR LA LONGUEUR, CRESSON.

- **1 QUART DE TASSE** DE GRAINES DE SÉSAME RÔTIES
- **2 C. À SOUPE** DE SUCRE
- SAUCE SOYA AU GOÛT

PRÉPARATION

PLONGER les légumes verts choisis dans l'eau bouillante très salée pendant 30 secondes. **ARRÊTER** la cuisson dans l'eau glacée.

Bien **ESSORER** les légumes verts en les pressant avec les mains. **HACHER** grossièrement et **DÉPOSER** dans un saladier.

MOUDRE les graines de sésame avec le sucre et **AJOUTER** aux légumes verts, **ASSAISONNER** avec de la sauce soya au goût.

BAVETTE
MARINÉE

SALADE
DE CAROTTES

TAPIOCA

SOUPE PARFUMÉE
AU POULET

LÉGUMES
VERTS

MANGUE
+
COCO

SALADE DE CAROTTES

INGRÉDIENTS

SALADE
- **4 TASSES** DE CAROTTES EN JULIENNE
- **1** POIVRON ROUGE COUPÉ EN JULIENNE
- **2** OIGNONS VERTS TRANCHÉS
- **1 TASSE** D'ARACHIDES RÔTIES
- **2 TASSES** DE DAIKON COUPÉ EN JULIENNE

VINAIGRETTE
- **2 C. À SOUPE** DE SAUCE SOYA
- **2 C. À SOUPE** DE SUCRE
- **2 C. À SOUPE** DE SAMBAL OELEK
- **2 C. À SOUPE** DE VINAIGRE NOIR OU BALSAMIQUE

PRÉPARATION

Dans un saladier, **FOUETTER** les ingrédients de la vinaigrette. **AJOUTER** les légumes et les arachides. **TOUILLER**.

TAPIOCA À LA NOIX DE COCO ET MANGUE

INGRÉDIENTS

- **1 DEMI-TASSE** DE PETITES PERLES DE TAPIOCA
- **1 TASSE** D'EAU
- **1 BOÎTE** DE LAIT DE COCO
- **1 PINCÉE** DE SEL
- **1 DEMI-TASSE** DE SUCRE
- **2** MANGUES COUPÉES EN CUBES
- PÉPINS DE **2** FRUITS DE LA PASSION

PRÉPARATION

TREMPER les perles de tapioca dans une demi-tasse d'eau pendant 20 minutes.

Dans une casserole, **MÉLANGER** le lait de coco avec l'eau restante, le sucre et le sel, et **PORTER** à ébullition.

ÉGOUTTER le tapioca, verser dans la casserole, **AMENER** à ébullition et **ÉTEINDRE** le feu.

REMUER constamment jusqu'à ce qu'il devienne tendre et transparent.

SERVIR chaud, tiède ou froid. **GARNIR** avec les mangues et les pépins de fruits de la passion.

INDEX
PAR INGRÉDIENT

UN MERCI TOUT SPÉCIAL

Jack Latulippe, Charles Gagnon, Alain Cloutier, Sophie Massé, Sylvain Thomin,
Samuel Charlebois, Simon L'Archevêque, Pierre-Luc Soumis,
Bruno Terroux, Flore-Anne Ducharme, de l'agence Les Évadés,
merci de toujours chercher à faire les choses autrement.
Respect pour votre grande créativité.

Geneviève Croteau, Martin Girard, Sarah-Claude Lauzier,
Jean-François Lemire, Hans Laurendeau, Sandrine Castellan,
Jérôme Guibord, Desneiges Paquin, Audrey Boivin, Mathieu Guérin,
Audrée Desnoyers, Geneviève Demers, Mégane Voghell,
Bianca Iasenzaniro, Evangelia Pavlakos de Shoot Studio,
merci pour votre grand talent et votre dévotion.

Max Ruiz Laing de Harbour Choice, merci, merci, merci.

Josée di Stasio, qui travaille sans cesse pour perfectionner son art
et rendre les choses accessibles.
Merci pour ta confiance et ton amitié.

Et finalement, merci à toute la famille Foulon et à André Gagnon
des Éditions Hurtubise.

TO MANY MORE !